하루 10분 서술형 / 문장제 학습지

씨투엠

수학
독해

S2 방향과 위치
5세~7세

사고가 자라는 수학
씨투엠

수학독해 : 수학을 스스로 읽고 해결하다

객관식이나 간단한 단답형 문제는 자신 있는데 긴 문장이나 풀이 과정을 쓰라는 문제는 어려워하는 아이들이 있어요. 빠르고 정확하게 연산하고 교과 응용문제까지도 곧잘 풀어내지만, 문제 속 상황이 약간만 복잡해지면 문제를 풀려고도 하지 않는 아이들도 많아요. 이러한 아이들에게 부족한 것은 연산 능력이나 문제 해결력보다는 독해력과 표현력입니다. 특히 수학적 텍스트를 이해하고 표현하는 능력, 즉 수학 독해력이지요.

요즘 아이들의 독해력이 약해진 가장 큰 이유는 과거에 비해 이야기를 만나는 방식이 다양해졌기 때문이에요. 예전에는 대부분 말이나 글로써만 이야기를 접했어요. 텍스트 위주로 여러 가지 사건을 간접 체험하고, 머릿 속으로 상황을 그려내는 훈련이 자연스럽게 이루어졌지요. 반면 요즘 아이들은 글보다도 TV나 스마트폰 등 영상매체에 훨씬 빨리, 자주 노출되기에 글을 통해 상상을 할 필요가 점점 없어지게 되었습니다.

그렇다고 아이들에게 어렸을 때부터 영화나 애니메이션을 못 보게 하고 책만 읽게 하는 것은 바람직하지 않고, 가능하지도 않아요. 시각 매체는 그 자체로 많은 장점이 있기 때문에 지금의 아이들은 예전 세대에 비해 이미지에 대한 이해력과 적용력이 매우 뛰어나답니다. 문제는 아직까지 모든 학습과 평가 방식이 여전히 텍스트 위주이기 때문에 지금도 아이들에게 독해력이 중요하다는 점이에요. 그래서 저희는 영상 매체에는 익숙하지만 말이나 글에는 약한 아이들을 위한 새로운 수학 독해력 향상 프로그램인 씨투엠 수학독해를 기획하게 되었어요.

씨투엠 수학독해는 기존 문장제/서술형 교재들보다 더욱 쉽고 간단한 학습법을 보여주려 해요. 문제에 있는 문장과 표현 하나하나마다 따로 접근하여 아이들이 어려워하는 포인트를 찾고, 각 포인트마다 직관적인 활동을 통해 독해력과 표현력을 차근차근 끌어올리려고 합니다. 또한 문제 이해와 풀이 서술 과정을 단계별로 세세하게 나누어 문장제, 서술형 문제를 부담 없이 체계적으로 연습할 수 있어요. 새로운 문장제 학습법인 씨투엠 수학독해가 문장제 문제에 특히 어려움을 겪고 있거나 앞으로 서술형 문제를 좀 더 잘 대비하고 싶은 아이들에게 큰 도움이 될 것이라 자신합니다.

수학독해의 구성과 특징

- 매일 부담없이 2쪽씩, 하루 10분 문장제 학습
- 매주 5일간 단계별 활동, 6일차는 중요 문장제 확인학습
- 5회분의 진단평가로 테스트 및 복습

주차별 구성

일일학습

꼬마 수학자들의
간단한 팁과 함께
매일 새롭게 만나는
단계별 문장제 활동

확인학습

중요 문장제 활동을
다시 한번 확인하며
주차 학습 마무리

1주차	1일	2일	3일	4일	5일	확인학습
	6쪽 ~ 7쪽	8쪽 ~ 9쪽	10쪽 ~ 11쪽	12쪽 ~ 13쪽	14쪽 ~ 15쪽	16쪽 ~ 18쪽

2주차	1일	2일	3일	4일	5일	확인학습
	20쪽 ~ 21쪽	22쪽 ~ 23쪽	24쪽 ~ 25쪽	26쪽 ~ 27쪽	28쪽 ~ 29쪽	30쪽 ~ 32쪽

3주차	1일	2일	3일	4일	5일	확인학습
	34쪽 ~ 35쪽	36쪽 ~ 37쪽	38쪽 ~ 39쪽	40쪽 ~ 41쪽	42쪽 ~ 43쪽	44쪽 ~ 46쪽

4주차	1일	2일	3일	4일	5일	확인학습
	48쪽 ~ 49쪽	50쪽 ~ 51쪽	52쪽 ~ 53쪽	54쪽 ~ 55쪽	56쪽 ~ 57쪽	58쪽 ~ 60쪽

진단평가 구성

진단평가

4주 간의 문장제 학습에서 부족한 부분을
확인하고 복습하기 위한 자가 진단 테스트

진단평가	1회	2회	3회	4회	5회
	62쪽 ~ 63쪽	64쪽 ~ 65쪽	66쪽 ~ 67쪽	68쪽 ~ 69쪽	70쪽 ~ 71쪽

이 책의 차례

✿ 그림을 보고 알맞은 말에 ○표 하세요.

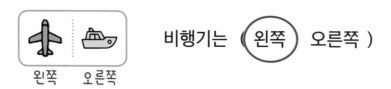

비행기는 (왼쪽 , 오른쪽)

풍선은 (왼쪽 , 오른쪽)

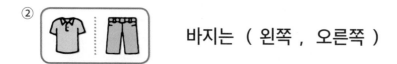

바지는 (왼쪽 , 오른쪽)

딸기는 (왼쪽 , 오른쪽)

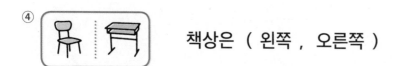

책상은 (왼쪽 , 오른쪽)

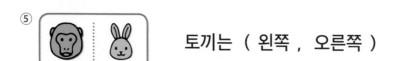

토끼는 (왼쪽 , 오른쪽)

왼손이 있는 쪽이 왼쪽, 오른손이 있는 쪽이 오른쪽!

🌸 그림을 보고 알맞은 말에 ○표 하세요.

연필   지우개

((연필은) , 지우개는) 왼쪽

①

(강아지는 , 고양이는) 왼쪽

②

(별사탕은 , 솜사탕은) 왼쪽

③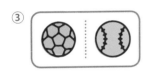

(야구공은 , 축구공은) 오른쪽

④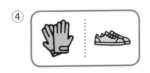

(장갑은 , 신발은) 오른쪽

⑤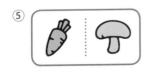

(버섯은 , 당근은) 오른쪽

🦋 위치에 맞게 이어 보세요.

사과는 왼쪽 끝,

바나나는 가운데,

딸기는 오른쪽 끝에 있습니다.

왼쪽 끝   가운데   오른쪽 끝

① 수박은 왼쪽 끝,

복숭아는 가운데,

딸기는 오른쪽 끝에 있습니다.

② 강아지는 왼쪽 끝,

돼지는 가운데,

고양이는 오른쪽 끝에 있습니다.

③ 돼지는 왼쪽 끝,

닭은 가운데,

원숭이는 오른쪽 끝에 있습니다.

물건이 3개일 때는 왼쪽 끝, 가운데, 오른쪽 끝 위치가 있어.

그림을 보고 물음에 답하여 ○표 하세요.

왼쪽 끝　가운데　오른쪽 끝

강아지는 어디에 있습니까?　　　　　　　(왼쪽 끝 , 가운데 , 오른쪽 끝)

왼쪽 끝에 무엇이 있습니까?　　　　　　　(강아지 , 원숭이 , 토끼)

① 바나나는 어디에 있습니까?　　　　　　(왼쪽 끝 , 가운데 , 오른쪽 끝)

② 오른쪽 끝에 무엇이 있습니까?　　　　　　(딸기 , 바나나 , 수박)

③ 버스는 어디에 있습니까?　　　　　　(왼쪽 끝 , 가운데 , 오른쪽 끝)

④ 가운데에 무엇이 있습니까?　　　　　　(버스 , 비행기 , 자전거)

왼쪽에서 몇째

🐝 왼쪽에서 몇째인지 찾아 알맞게 이어 보세요.

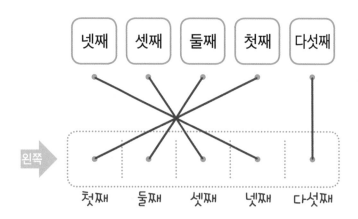

①

②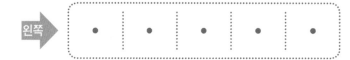

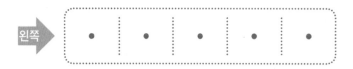

왼쪽 끝부터 차례대로 첫째, 둘째, 셋째, 넷째, 다섯째라고 해.

🐝 그림을 보고 알맞은 말에 ◯표 하세요.

왼쪽 →

첫째   둘째

셔츠는 왼쪽에서 (첫째 , **둘째** , 셋째)입니다.

① 바지는 왼쪽에서 (둘째 , 셋째 , 넷째)입니다.

② 장갑은 왼쪽에서 (셋째 , 넷째 , 다섯째)입니다.

③ 신발은 왼쪽에서 (다섯째 , 셋째 , 첫째)입니다.

왼쪽 →

(돼지는 , 원숭이는 , **토끼는**) 왼쪽에서 다섯째입니다.

④ (토끼는 , 강아지는 , 돼지는) 왼쪽에서 첫째입니다.

⑤ (고양이는 , 돼지는 , 원숭이는) 왼쪽에서 넷째입니다.

⑥ (돼지는 , 고양이는 , 강아지는) 왼쪽에서 셋째입니다.

오른쪽에서 몇째인지 찾아 알맞게 이어 보세요.

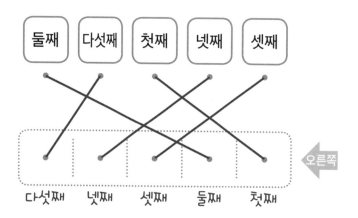

①

②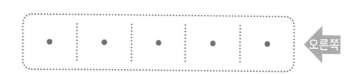

🦋 그림을 보고 알맞은 말에 ○표 하세요.

셋째   둘째   첫째

바나나는 오른쪽에서 (첫째 , 둘째 , (셋째))입니다.

① 딸기는 오른쪽에서 (셋째 , 넷째 , 다섯째)입니다.

② 수박은 오른쪽에서 (첫째 , 셋째 , 다섯째)입니다.

③ 복숭아는 오른쪽에서 (넷째 , 셋째 , 둘째)입니다.

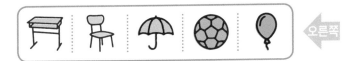

(풍선은 , (축구공은) , 우산은) 오른쪽에서 둘째입니다.

④ (축구공은 , 우산은 , 의자는) 오른쪽에서 넷째입니다.

⑤ (책상은 , 의자는 , 우산은) 오른쪽에서 셋째입니다.

⑥ (책상은 , 우산은 , 풍선은) 오른쪽에서 다섯째입니다.

✿ 알맞은 칸에 색칠해 보세요.

사과는 왼쪽에서 첫째, 오른쪽에서 다섯째입니다.

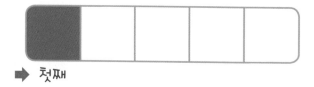

① 복숭아는 오른쪽에서 둘째, 왼쪽에서 넷째입니다.

② 수박은 왼쪽에서 셋째, 오른쪽에서 셋째입니다.

③ 바나나는 오른쪽에서 넷째, 왼쪽에서 둘째입니다.

④ 딸기는 왼쪽에서 다섯째, 오른쪽에서 첫째입니다.

먼저 어느 쪽에서 시작하는지 잘 따져야 해.

✿ 그림을 보고 물음에 답하여 ○표 하세요.

넷째   셋째   둘째   첫째 ←

토끼는 오른쪽에서 몇째입니까?   (다섯째 , (넷째) , 셋째)

① 강아지는 왼쪽에서 몇째입니까?   (첫째 , 셋째 , 다섯째)

② 원숭이는 오른쪽에서 몇째입니까?   (둘째 , 셋째 , 넷째)

③ 왼쪽에서 셋째는 무엇입니까?   (닭 , 토끼 , 고양이)

④ 오른쪽에서 넷째는 무엇입니까?   (토끼 , 고양이 , 원숭이)

⑤ 왼쪽에서 첫째는 무엇입니까?   (강아지 , 원숭이 , 닭)

✏️ 그림을 보고 물음에 답하여 ◯표 하세요.

① 왼쪽 끝에 무엇이 있습니까?　　　　　　　　　　　（ 장갑 ，　가방 ，　우산 ）

② 우산은 어디에 있습니까?　　　　　　　　　（ 왼쪽 끝 ，　가운데 ，　오른쪽 끝 ）

✏️ 주어진 방향에서 몇째인지 찾아 알맞게 이어 보세요.

③

넷째	첫째	다섯째	셋째	둘째

왼쪽 ➡️

④

셋째	넷째	첫째	다섯째	둘째

⬅️ 오른쪽

✏️ 그림을 보고 알맞은 말에 ◯표 하세요.

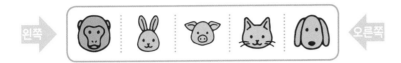

⑤ 강아지는 왼쪽에서 (첫째 , 셋째 , 다섯째) 입니다.

⑥ 토끼는 오른쪽에서 (넷째 , 셋째 , 둘째) 입니다.

⑦ (고양이는 , 돼지는 , 토끼는) 왼쪽에서 셋째입니다.

⑧ (강아지는 , 돼지는 , 원숭이는) 오른쪽에서 다섯째입니다.

✏️ 알맞은 칸에 색칠해 보세요.

⑨ 초콜릿은 왼쪽에서 셋째, 오른쪽에서 셋째입니다.

⑩ 별사탕은 오른쪽에서 첫째, 왼쪽에서 다섯째입니다.

✏ 그림을 보고 물음에 답하여 ○표 하세요.

⑪ 딸기는 왼쪽에서 몇째입니까?   (첫째 , 둘째 , 셋째)

⑫ 바나나는 오른쪽에서 몇째입니까?   (둘째 , 셋째 , 넷째)

⑬ 복숭아는 왼쪽에서 몇째입니까?   (넷째 , 셋째 , 둘째)

⑭ 오른쪽에서 셋째는 무엇입니까?   (사과 , 복숭아 , 바나나)

⑮ 왼쪽에서 다섯째는 무엇입니까?   (수박 , 사과 , 딸기)

⑯ 오른쪽에서 둘째는 무엇입니까?   (바나나 , 복숭아 , 사과)

위와 아래

🌼 그림을 보고 알맞은 말에 ◯표 하세요.

위

아래

풍선은 (**위** , 아래), 의자는 (위 , **아래**)

①

신발은 (위 , 아래), 모자는 (위 , 아래)

②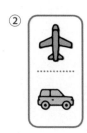

비행기는 (위 , 아래), 자동차는 (위 , 아래)

③

별사탕은 (위 , 아래), 솜사탕은 (위 , 아래)

④

강아지는 (위 , 아래), 닭은 (위 , 아래)

높은 위치를 위, 낮은 위치를 아래라고 해.

❀ 그림을 보고 알맞은 말에 ○표 하세요.

우산

장갑

((우산은), 장갑은) 위에 있습니다.

①

(원숭이는 , 토끼는) 아래에 있습니다.

②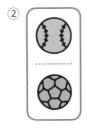

(축구공은 , 야구공은) 아래에 있습니다.

③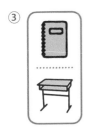

(공책은 , 책상은) 위에 있습니다.

④

(바지는 , 셔츠는) 위에 있습니다.

🦋 위치에 맞게 이어 보세요.

공책은 맨 위,

지우개는 가운데,

크레파스는 맨 아래에 있습니다.

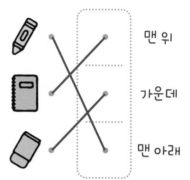

① 닭은 맨 위,

토끼는 가운데,

돼지는 맨 아래에 있습니다.

② 비행기는 맨 위,

버스는 가운데,

배는 맨 아래에 있습니다.

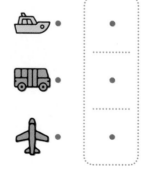

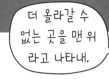

더 올라갈 수 없는 곳을 맨 위 라고 나타내.

 그림을 보고 물음에 답하여 ○표 하세요.

우산	
셔츠	
바지	

바지는 어디에 있습니까?　　　(맨 위 , 가운데 , (맨 아래))

가운데에 무엇이 있습니까?　　　(우산 , (셔츠) , 바지)

① 우산은 어디에 있습니까?　　　(맨 위 , 가운데 , 맨 아래)

② 맨 아래에 무엇이 있습니까?　　　(딸기 , 복숭아 , 수박)

③ 복숭아는 어디에 있습니까?　　　(맨 위 , 가운데 , 맨 아래)

④ 맨 위에 무엇이 있습니까?　　　(딸기 , 복숭아 , 수박)

⑤ 주사위는 어디에 있습니까?　　　(맨 위 , 가운데 , 맨 아래)

⑥ 맨 아래에 무엇이 있습니까?　　　(풍선 , 주사위 , 의자)

⑦ 풍선은 어디에 있습니까?　　　(맨 위 , 가운데 , 맨 아래)

위에서 몇째

🐝 위에서부터 순서에 맞는 별에 색칠해 보세요.

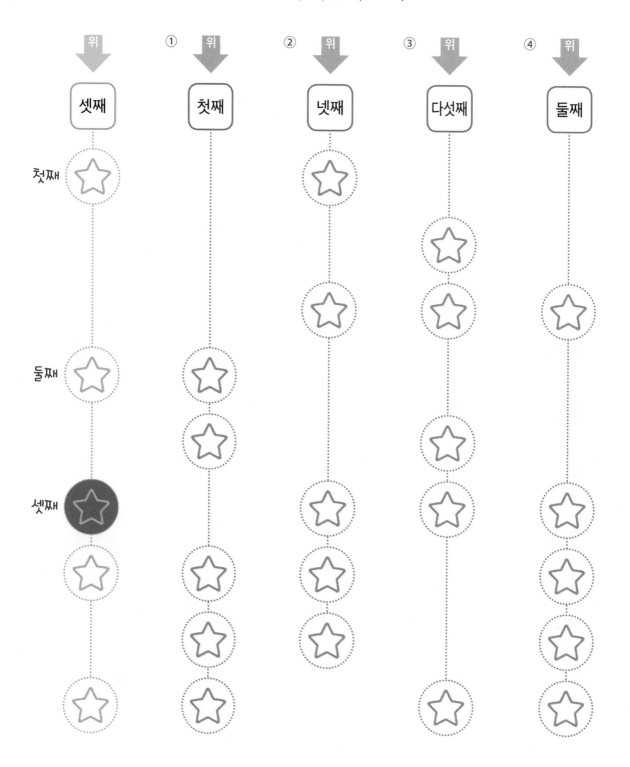

위에서 아래로
하나씩 세면서
내려가면 돼.

🐝 그림을 보고 알맞은 말에 ○표 하세요.

위 ⬇

첫째

풍선은 위에서 (**첫째** , 둘째 , 셋째) 입니다.

① 의자는 위에서 (셋째 , 넷째 , 다섯째) 입니다.

② 가방은 위에서 (둘째 , 셋째 , 넷째) 입니다.

③ 책상은 위에서 (다섯째 , 셋째 , 첫째) 입니다.

위 ⬇

바나나

수박

(바나나는 , **수박은** , 사과는) 위에서 둘째입니다.

④ (사과는 , 딸기는 , 복숭아는) 위에서 셋째입니다.

⑤ (복숭아는 , 사과는 , 바나나는) 위에서 첫째입니다.

⑥ (딸기는 , 사과는 , 수박은) 위에서 넷째입니다.

🎨 아래에서부터 순서에 맞는 별에 색칠해 보세요.

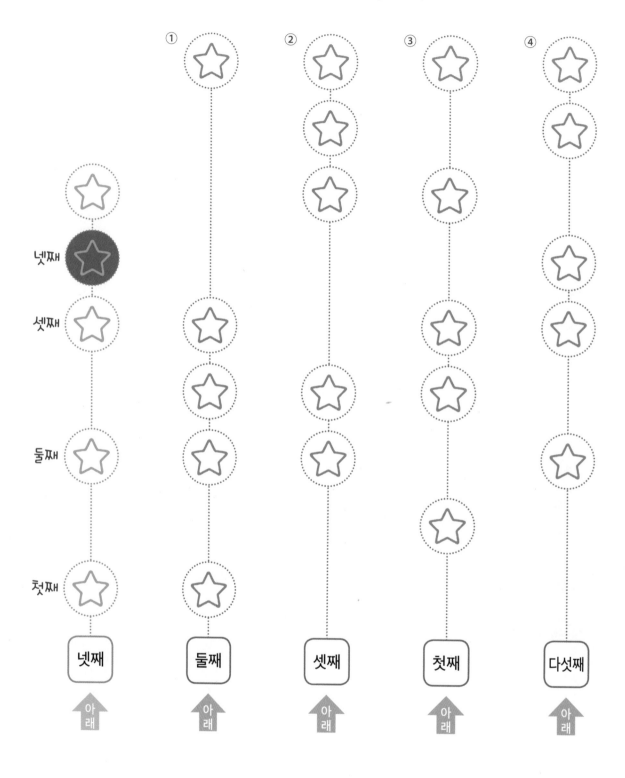

맨 아래 칸은 첫째,
위로 하나씩 둘째, 셋
째, 넷째, 다섯째!

 그림을 보고 알맞은 말에 ○표 하세요.

다섯째   신발은 아래에서 (다섯째 , 넷째 , 셋째) 입니다.

넷째   ① 장갑은 아래에서 (둘째 , 셋째 , 넷째) 입니다.

셋째   ② 모자는 아래에서 (다섯째 , 셋째 , 첫째) 입니다.

둘째   ③ 셔츠는 아래에서 (첫째 , 둘째 , 셋째) 입니다.

첫째

아래

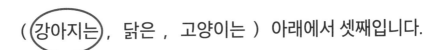
(강아지는 , 닭은 , 고양이는) 아래에서 셋째입니다.

   ④ (원숭이는 , 토끼는 , 고양이는) 아래에서 첫째입니다.

강아지   ⑤ (고양이는 , 닭은 , 강아지는) 아래에서 둘째입니다.

닭

고양이   ⑥ (닭은 , 토끼는 , 원숭이는) 아래에서 다섯째입니다.

아래

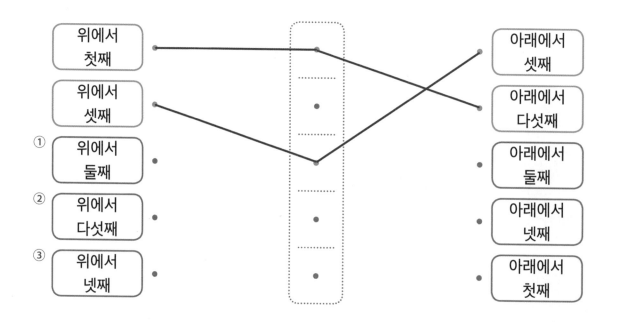

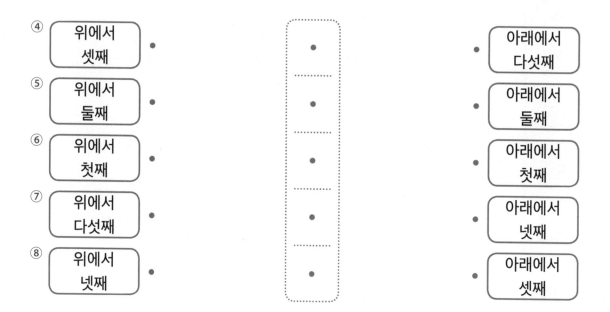

위아래에서 몇째입니까

✿ 위와 아래에서 각각 몇째인지 찾아 알맞게 이어 보세요.

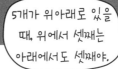

5개가 위아래로 있을 때, 위에서 셋째는 아래에서도 셋째야.

✿ 그림을 보고 물음에 답하여 ○표 하세요.

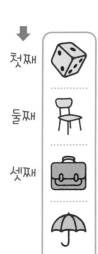

첫째
둘째
셋째

가방은 위에서 몇째입니까?　　　　(넷째 , 셋째 , 둘째)

① 의자는 아래에서 몇째입니까?　　　(둘째 , 셋째 , 넷째)

② 풍선은 위에서 몇째입니까?　　　　(다섯째 , 셋째 , 첫째)

③ 아래에서 둘째는 무엇입니까?　　　(우산 , 가방 , 의자)

④ 위에서 첫째는 무엇입니까?　　　　(주사위 , 의자 , 풍선)

⑤ 아래에서 셋째는 무엇입니까?　　　(풍선 , 우산 , 가방)

✏️ 그림을 보고 물음에 답하여 ○표 하세요.

① 가운데에 무엇이 있습니까?　　　（ 원숭이 ， 닭 ， 강아지 ）

② 강아지는 어디에 있습니까?　　（ 맨 위 ， 가운데 ， 맨 아래 ）

③ 맨 위에 무엇이 있습니까?　　　（ 원숭이 ， 닭 ， 강아지 ）

✏️ 위 또는 아래에서부터 순서에 맞는 별에 색칠해 보세요.

✏️ 그림을 보고 알맞은 말에 ○표 하세요.

⑧ 셔츠는 위에서 (셋째 , 넷째 , 다섯째) 입니다.

⑨ 장갑은 아래에서 (첫째 , 셋째 , 다섯째) 입니다.

⑩ (장갑은 , 모자는 , 바지는) 위에서 첫째입니다.

⑪ (바지는 , 신발은 , 모자는) 아래에서 넷째입니다.

✏️ 위와 아래에서 각각 몇째인지 찾아 알맞게 이어 보세요.

⑫ 위에서 넷째		아래에서 넷째
⑬ 위에서 첫째		아래에서 다섯째
⑭ 위에서 둘째		아래에서 셋째
⑮ 위에서 셋째		아래에서 첫째
⑯ 위에서 다섯째		아래에서 둘째

✎ 그림을 보고 물음에 답하여 ○표 하세요.

⑰ 수박은 아래에서 몇째입니까?　　　（ 첫째 ， 둘째 ， 다섯째 ）

⑱ 딸기는 위에서 몇째입니까?　　　（ 둘째 ， 셋째 ， 넷째 ）

⑲ 사과는 아래에서 몇째입니까?　　　（ 셋째 ， 넷째 ， 다섯째 ）

⑳ 위에서 둘째는 무엇입니까?　　　（ 바나나 ， 복숭아 ， 사과 ）

㉑ 아래에서 다섯째는 무엇입니까?　　　（ 수박 ， 사과 ， 바나나 ）

㉒ 위에서 셋째는 무엇입니까?　　　（ 딸기 ， 사과 ， 복숭아 ）

3주차

기준과 위치

❀ 지시에 맞게 그림 위에 표시해 보세요.

수박 바로 위에 있는 것에 ○표

수박 바로 왼쪽에 있는 것에 △표

수박 바로 오른쪽에 있는 것에 □표

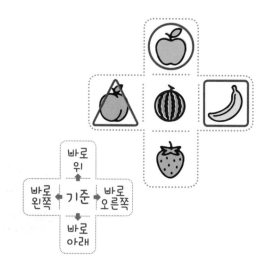

① 셔츠 바로 아래에 있는 것에 ○표

② 셔츠 바로 왼쪽에 있는 것에 △표

③ 셔츠 바로 위에 있는 것에 □표

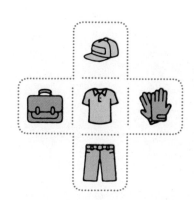

④ 책상 바로 오른쪽에 있는 것에 ○표

⑤ 책상 바로 아래에 있는 것에 △표

⑥ 책상 바로 왼쪽에 있는 것에 □표

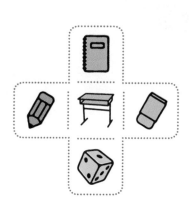

✿ 그림을 보고 알맞은 말에 ○표 하세요.

비행기 바로 아래에 (배가 , 자동차가) 있습니다.

자전거 바로 (위 , 오른쪽) 에 배가 있습니다.

① 고양이 바로 위에 (원숭이가 , 강아지가) 있습니다.

② 토끼 바로 (왼쪽 , 아래) 에 강아지가 있습니다.

③ (복숭아 , 바나나) 바로 오른쪽에 딸기가 있습니다.

④ 수박 바로 (위 , 왼쪽) 에 바나나가 있습니다.

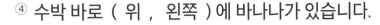

⑤ (버섯 , 당근) 바로 위에 달걀이 있습니다.

⑥ 달걀 바로 (오른쪽 , 아래) 에 초콜릿이 있습니다.

🐝 지시에 맞는 것에 모두 ○표 하세요.

토끼 왼쪽에 있는 것

① 지우개 오른쪽에 있는 것

② 셔츠 왼쪽에 있는 것

③ 복숭아 오른쪽에 있는 것

④ 솜사탕 왼쪽에 있는 것

위에 있는 것은 바로 위에 있는 것부터 맨 위에 있는 것까지야.

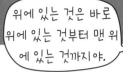

🎨 그림을 보고 알맞은 말에 모두 ◯표 하세요.

주사위

주사위 아래에 있는 것은

(공책 , 연필 , 지우개 , 책상) 입니다.

① 연필 위에 있는 것은

(공책 , 주사위 , 지우개 , 책상) 입니다.

② 지우개 아래에 있는 것은

(공책 , 주사위 , 연필 , 책상) 입니다.

③ 바지 위에 있는 것은

(우산 , 셔츠 , 모자 , 가방) 입니다.

④ 우산 아래에 있는 것은

(바지 , 셔츠 , 모자 , 가방) 입니다.

⑤ 모자 위에 있는 것은

(우산 , 바지 , 셔츠 , 가방) 입니다.

🐝 그림을 보고 밑줄친 곳에 알맞은 수를 써넣으세요.

1개

2개

↑

보라색

보라색 별 위에 있는 별은 __**2**__ 개입니다.

① 분홍색 별 아래에 있는 별은 _____ 개입니다.

② 파란색 별 위에 있는 별은 _____ 개입니다.

③ 노란색 우산 아래에 있는 우산은 _____ 개입니다.

④ 보라색 우산 위에 있는 우산은 _____ 개입니다.

⑤ 주황색 우산 아래에 있는 우산은 _____ 개입니다.

🐝 그림을 보고 물음에 답하세요.

원숭이 왼쪽에 있는 바나나는 몇 개입니까?   **3** 개

① 집 오른쪽에 있는 나무는 몇 그루입니까?   _____ 그루

② 닭 오른쪽에 있는 달걀은 몇 개입니까?   _____ 개

③ 책상 왼쪽에 있는 의자는 몇 개입니까?   _____ 개

④ 토끼 오른쪽에 있는 당근은 몇 개입니까?   _____ 개

올바른 말과 틀린 말

🦋 그림을 보고 올바른 말에 ○표, 틀린 말에 ✕표 하세요.

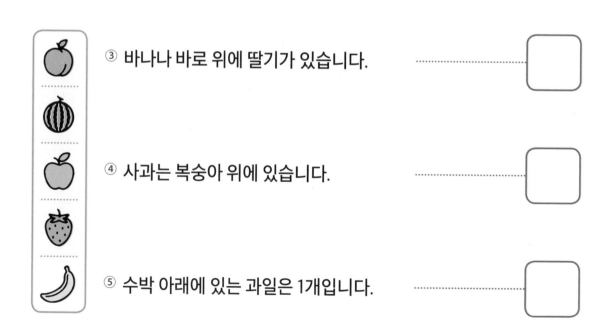

돼지 바로 아래에 ~~강아지가~~ 있습니다. ·········· ✕
　　　　　　　　토끼가

① 토끼는 원숭이 아래에 있습니다. ·········

② 고양이 위에 있는 동물은 3마리입니다. ·········

③ 바나나 바로 위에 딸기가 있습니다. ·········

④ 사과는 복숭아 위에 있습니다. ·········

⑤ 수박 아래에 있는 과일은 1개입니다. ·········

위, 아래, 왼쪽, 오른쪽의 방향에 주의해야 해!

🐞 그림을 보고 올바른 말에 ○표, 틀린 말에 ✕표 하세요.

수박 바로 오른쪽에 딸기가 있습니다. ·········· ○

① 복숭아는 사과 왼쪽에 있습니다. ··········

② 사과 오른쪽에 있는 과일은 4개입니다. ··········

③ 강아지 바로 왼쪽에 토끼가 있습니다. ··········

④ 돼지는 고양이 오른쪽에 있습니다. ··········

⑤ 고양이 왼쪽에 있는 동물은 3마리입니다. ··········

✿ 과일 5개가 나란히 있습니다. 질문에 맞게 ◯표 하세요.

수박 오른쪽에 있는 과일은 4개입니다. 수박은 어디에 있습니까?

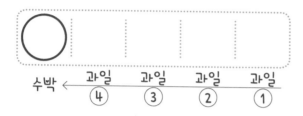

① 사과 왼쪽에 있는 과일은 3개입니다. 사과는 어디에 있습니까?

② 딸기 왼쪽에 있는 과일은 1개입니다. 딸기는 어디에 있습니까?

③ 복숭아 오른쪽에 있는 과일은 2개입니다. 복숭아는 어디에 있습니까?

④ 바나나 오른쪽에는 과일이 없습니다. 바나나는 어디에 있습니까?

단서를 잘 읽고
동물의 위치를 하나씩
차근차근 찾아봐.

✿ 동물 5마리가 있는 곳을 순서대로 찾아보세요.

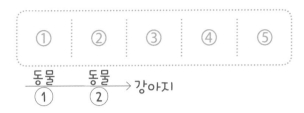

강아지 왼쪽에 있는 동물은 2마리입니다.

강아지는 몇 번 칸에 있습니까?　　　　　　　　　**3** 번

① 강아지 바로 오른쪽에 토끼가 있습니다.

　토끼는 몇 번 칸에 있습니까?　　　　　　　　　＿＿＿ 번

② 원숭이 왼쪽에는 동물이 없습니다.

　원숭이는 몇 번 칸에 있습니까?　　　　　　　　＿＿＿ 번

③ 닭은 토끼 오른쪽에 있습니다.

　닭은 몇 번 칸에 있습니까?　　　　　　　　　　＿＿＿ 번

④ 고양이는 나머지 한 칸에 있습니다.

　고양이는 몇 번 칸에 있습니까?　　　　　　　　＿＿＿ 번

확인학습

✏️ 그림을 보고 알맞은 말에 모두 ○표 하세요.

① 초콜릿 위에 있는 것은

(솜사탕 , 우유 , 별사탕 , 머핀) 입니다.

② 별사탕 아래에 있는 것은

(솜사탕 , 우유 , 초콜릿 , 머핀) 입니다.

③ 머핀 위에 있는 것은

(솜사탕 , 우유 , 초콜릿 , 별사탕) 입니다.

✏️ 그림을 보고 물음에 답하세요.

④

의자 오른쪽에 있는 바지는 몇 벌입니까? _____ 벌

⑤

닭 왼쪽에 있는 달걀은 몇 개입니까? _____ 개

✏️ 그림을 보고 올바른 말에 ○표, 틀린 말에 ✕표 하세요.

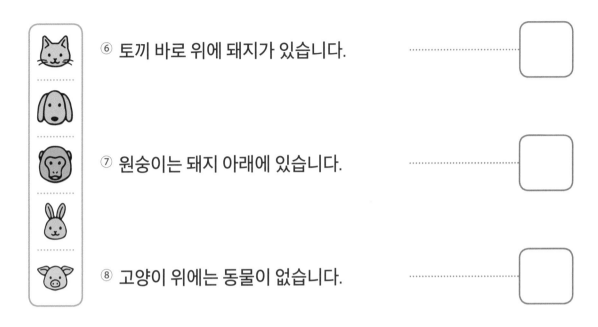

⑥ 토끼 바로 위에 돼지가 있습니다. ....

⑦ 원숭이는 돼지 아래에 있습니다. ....

⑧ 고양이 위에는 동물이 없습니다. ....

✏️ 과일 5개가 나란히 있습니다. 질문에 맞게 ○표 하세요.

⑨ 사과 오른쪽에 있는 과일은 3개입니다. 사과는 어디에 있습니까?

⑩ 딸기 왼쪽에 있는 과일은 4개입니다. 딸기는 어디에 있습니까?

✏️ 친구 5명이 있는 곳을 순서대로 찾아보세요.

①	②	③	④	⑤

⑪ 진주 오른쪽에 아이가 3명 있습니다.

진주는 몇 번 칸에 있습니까?　　　　　　　　　　＿＿＿＿＿ 번

⑫ 현우는 진주 왼쪽에 있습니다.

현우는 몇 번 칸에 있습니까?　　　　　　　　　　＿＿＿＿＿ 번

⑬ 민서 오른쪽에는 아무도 없습니다.

민서는 몇 번 칸에 있습니까?　　　　　　　　　　＿＿＿＿＿ 번

⑭ 진주 바로 오른쪽에 준현이가 있습니다.

준현이는 몇 번 칸에 있습니까?　　　　　　　　　　＿＿＿＿＿ 번

⑮ 수아는 나머지 한 칸에 있습니다.

수아는 몇 번 칸에 있습니까?　　　　　　　　　　＿＿＿＿＿ 번

4주차

거리 비교

🌸 몇 칸인지 세어 빈 곳에 알맞은 수를 써넣으세요.

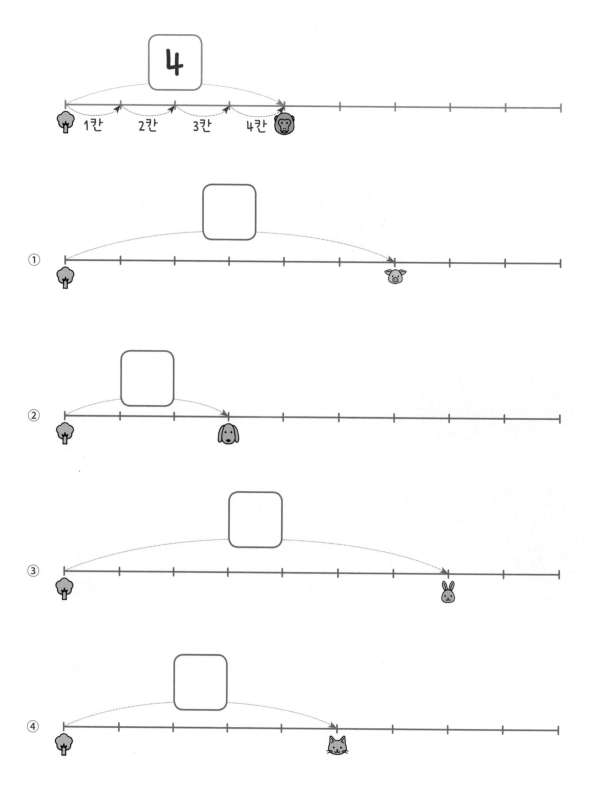

두 물건이나 장소가 떨어진 길이를 거리라고 해.

✿ 그림을 보고 밑줄친 곳에 알맞은 수를 써넣으세요.

강아지는 나무에서 ____**2**____ 칸 떨어져 있습니다.

①

토끼는 나무에서 _____ 칸 떨어져 있습니다.

②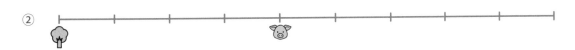

돼지는 나무에서 _____ 칸 떨어져 있습니다.

③

고양이는 나무에서 _____ 칸 떨어져 있습니다.

④

원숭이는 나무에서 _____ 칸 떨어져 있습니다.

🎨 양쪽으로 각각 몇 칸인지 세어 빈 곳에 알맞은 수를 써넣으세요.

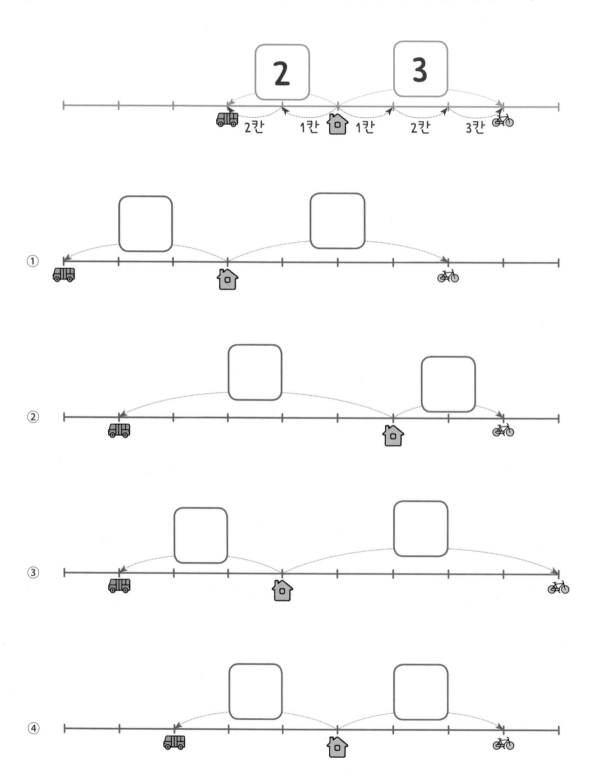

같은 칸 수만큼 떨어져 있어도 방향이 반대이면 위치가 다르지.

🐞 그림을 보고 밑줄친 곳에 알맞은 수를 써넣으세요.

버스는 집에서 왼쪽으로 ___2___ 칸 떨어져 있습니다.

자전거는 집에서 오른쪽으로 ___1___ 칸 떨어져 있습니다.

① 버스는 집에서 왼쪽으로 _____ 칸 떨어져 있습니다.

② 자전거는 집에서 오른쪽으로 _____ 칸 떨어져 있습니다.

③ 자전거는 집에서 오른쪽으로 _____ 칸 떨어져 있습니다.

④ 버스는 집에서 오른쪽으로 _____ 칸 떨어져 있습니다.

🐝 동물의 위치를 각각 찾아 ◯표 하세요.

고양이는 나무에서 오른쪽으로 5칸 떨어져 있습니다.

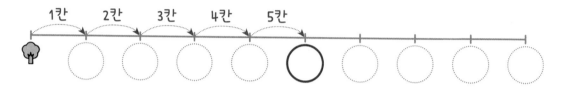

① 토끼는 나무에서 왼쪽으로 4칸 떨어져 있습니다.

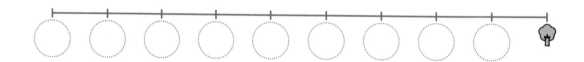

② 원숭이는 나무에서 오른쪽으로 3칸 떨어져 있습니다.

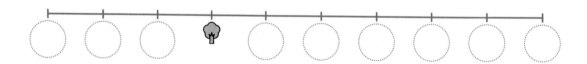

③ 강아지는 나무에서 왼쪽으로 7칸 떨어져 있습니다.

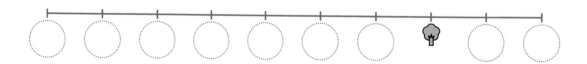

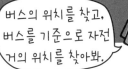
🐝 버스의 위치에 ◯표, 자전거의 위치에 ●표 하세요.

버스는 집에서 오른쪽으로 3칸 떨어져 있습니다.

자전거는 버스에서 왼쪽으로 5칸 떨어져 있습니다.

① 버스는 집에서 왼쪽으로 4칸 떨어져 있습니다.

자전거는 버스에서 오른쪽으로 2칸 떨어져 있습니다.

② 버스는 집에서 오른쪽으로 1칸 떨어져 있습니다.

자전거는 버스에서 오른쪽으로 4칸 떨어져 있습니다.

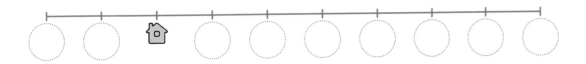

🎨 그림을 보고 알맞은 말에 ○표 하세요.

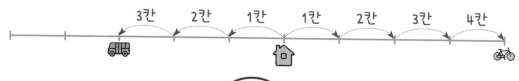

버스는 자전거보다 집에서 더 ((가까이) , 멀리) 있습니다.

①

자전거는 버스보다 집에서 더 (가까이 , 멀리) 있습니다.

②

버스는 자전거보다 집에서 더 (가까이 , 멀리) 있습니다.

③

자전거는 버스보다 집에서 더 (가까이 , 멀리) 있습니다.

떨어진 칸 수가 클수록 멀고, 떨어진 칸 수가 작을수록 가까워.

 물음에 답하여 알맞은 말에 ○표 하세요.

버스는 집에서 왼쪽으로 2칸 떨어져 있습니다.

자전거는 버스에서 왼쪽으로 3칸 떨어져 있습니다.

집에서 더 멀리 있는 것은 무엇입니까?　　　　　　　　(버스 , (자전거))

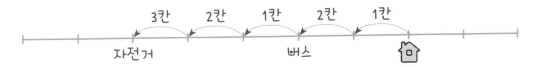

① 버스는 집에서 오른쪽으로 5칸 떨어져 있습니다.

자전거는 버스에서 왼쪽으로 2칸 떨어져 있습니다.

집에서 더 가까이 있는 것은 무엇입니까?　　　　　(버스 , 자전거)

② 버스는 집에서 왼쪽으로 3칸 떨어져 있습니다.

자전거는 버스에서 오른쪽으로 5칸 떨어져 있습니다.

집에서 더 멀리 있는 것은 무엇입니까?　　　　　　(버스 , 자전거)

✿ 다음 물음에 답하세요.

토끼는 나무에서 오른쪽으로 2칸 떨어져 있습니다.

원숭이는 나무에서 왼쪽으로 3칸 떨어져 있습니다.

토끼와 원숭이는 몇 칸 떨어져 있습니까?   **5** 칸

① 강아지는 나무에서 왼쪽으로 5칸 떨어져 있습니다.

고양이는 나무에서 왼쪽으로 1칸 떨어져 있습니다.

강아지와 고양이는 몇 칸 떨어져 있습니까?   칸

② 원숭이는 나무에서 오른쪽으로 4칸 떨어져 있습니다.

강아지는 원숭이에서 왼쪽으로 6칸 떨어져 있습니다.

강아지는 나무에서 몇 칸 떨어져 있습니까?   칸

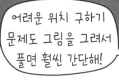

어려운 위치 구하기 문제도 그림을 그려서 풀면 훨씬 간단해!

🌸 그림을 보고 물음에 답하세요.

나무의 왼쪽에 있는 동물은 무엇입니까?　　　　　((강아지) , 토끼 , 닭)

① 나무에서 오른쪽으로 5칸 떨어진 곳에 있는 동물은 무엇입니까?

(강아지 , 토끼 , 닭)

② 토끼는 나무에서 오른쪽으로 몇 칸 떨어져 있습니까?　　　　　＿＿＿＿ 칸

③ 강아지와 닭은 몇 칸 떨어져 있습니까?　　　　　＿＿＿＿ 칸

④ 나무에서 가장 가까이 있는 동물은 무엇입니까?　　(강아지 , 토끼 , 닭)

⑤ 나무에서 가장 멀리 있는 동물은 무엇입니까?　　(강아지 , 토끼 , 닭)

✎ 버스의 위치에 ○표, 자전거의 위치에 ●표 하세요.

① 버스는 집에서 오른쪽으로 1칸 떨어져 있습니다.

  자전거는 버스에서 오른쪽으로 3칸 떨어져 있습니다.

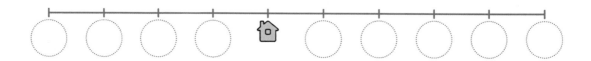

② 버스는 집에서 왼쪽으로 2칸 떨어져 있습니다.

  자전거는 버스에서 오른쪽으로 7칸 떨어져 있습니다.

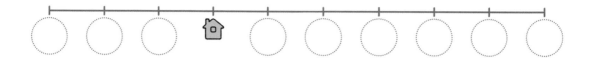

✎ 그림을 보고 알맞은 말에 ○표 하세요.

③

버스는 자전거보다 집에서 더 (가까이 , 멀리) 있습니다.

④

버스는 자전거보다 집에서 더 (가까이 , 멀리) 있습니다.

✏️ 다음 물음에 답하세요.

⑤ 닭은 나무에서 왼쪽으로 4칸 떨어져 있습니다.

강아지는 나무에서 오른쪽으로 2칸 떨어져 있습니다.

닭과 강아지는 몇 칸 떨어져 있습니까? _____ 칸

⑥ 고양이는 나무에서 오른쪽으로 3칸 떨어져 있습니다.

돼지는 나무에서 오른쪽으로 5칸 떨어져 있습니다.

고양이와 돼지는 몇 칸 떨어져 있습니까? _____ 칸

⑦ 강아지는 나무에서 왼쪽으로 1칸 떨어져 있습니다.

원숭이는 강아지에서 오른쪽으로 6칸 떨어져 있습니다.

원숭이는 나무에서 몇 칸 떨어져 있습니까? _____ 칸

✎ 그림을 보고 물음에 답하세요.

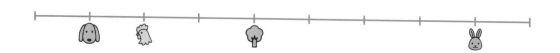

⑧ 나무의 오른쪽에 있는 동물은 무엇입니까?　　　　(강아지 , 닭 , 토끼)

⑨ 나무에서 왼쪽으로 3칸 떨어진 곳에 있는 동물은 무엇입니까?

(강아지 , 닭 , 토끼)

⑩ 닭은 나무에서 왼쪽으로 몇 칸 떨어져 있습니까?　　　　＿＿＿＿＿ 칸

⑪ 닭과 토끼는 몇 칸 떨어져 있습니까?　　　　＿＿＿＿＿ 칸

⑫ 나무에서 가장 가까이 있는 동물은 무엇입니까?　　(강아지 , 닭 , 토끼)

⑬ 나무에서 가장 멀리 있는 동물은 무엇입니까?　　(강아지 , 닭 , 토끼)

진단평가

진단평가에는 앞에서 학습한 4주차의 문장제
활동이 순서대로 나옵니다. 잘못 푼 문제가
있으면 몇 주차인지 확인하여 반드시 한 번
더 복습해 봅니다.

1주차	3주차
2주차	4주차

✏️ 그림을 보고 알맞은 말에 ◯표 하세요.

① 닭은 왼쪽에서 (둘째 , 셋째 , 넷째) 입니다.

② (고양이는 , 원숭이는 , 닭은) 왼쪽에서 셋째입니다.

③ 돼지는 왼쪽에서 (다섯째 , 셋째 , 첫째) 입니다.

✏️ 그림을 보고 물음에 답하여 ◯표 하세요.

④ 장갑은 아래에서 몇째입니까?　　　(첫째 , 둘째 , 다섯째)

⑤ 위에서 둘째는 무엇입니까?　　　(셔츠 , 신발 , 바지)

⑥ 셔츠는 위에서 몇째입니까?　　　(셋째 , 넷째 , 다섯째)

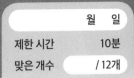
✎ 그림을 보고 알맞은 말에 모두 ○표 하세요.

⑦ 토끼 아래에 있는 것은

（ 원숭이 ， 돼지 ， 고양이 ， 닭 ） 입니다.

⑧ 돼지 아래에 있는 것은

（ 원숭이 ， 고양이 ， 토끼 ， 닭 ） 입니다.

⑨ 고양이 위에 있는 것은

（ 원숭이 ， 돼지 ， 토끼 ， 닭 ） 입니다.

✎ 그림을 보고 물음에 답하세요.

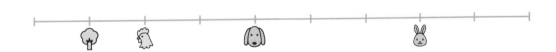

⑩ 나무에서 오른쪽으로 3칸 떨어진 곳에 있는 동물은 무엇입니까?

（ 닭 ， 강아지 ， 토끼 ）

⑪ 닭과 토끼는 몇 칸 떨어져 있습니까?　　　　＿＿＿＿＿ 칸

⑫ 나무에서 가장 멀리 있는 동물은 무엇입니까?　　（ 닭 ， 강아지 ， 토끼 ）

✎ 그림을 보고 물음에 답하여 ○표 하세요.

① 가방은 어디에 있습니까?　　　　　　　(왼쪽 끝 ,　가운데 ,　오른쪽 끝)

② 오른쪽 끝에 무엇이 있습니까?　　　　　　　(가방 ,　모자 ,　신발)

③ 모자는 어디에 있습니까?　　　　　　　(왼쪽 끝 ,　가운데 ,　오른쪽 끝)

✎ 그림을 보고 알맞은 말에 ○표 하세요.

위

④ 원숭이는 위에서 (셋째 ,　넷째 ,　다섯째) 입니다.

⑤ 돼지는 위에서 (셋째 ,　넷째 ,　다섯째) 입니다.

⑥ (강아지는 ,　토끼는 ,　돼지는) 위에서 둘째입니다.

⑦ (닭은 ,　원숭이는 ,　강아지는) 위에서 넷째입니다.

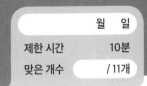
✎ 그림을 보고 물음에 답하세요.

⑧

집 오른쪽에 있는 해바라기는 몇 송이입니까?   _____ 송이

⑨

공책 왼쪽에 있는 연필은 몇 자루입니까?   _____ 자루

✎ 버스의 위치에 ○표, 자전거의 위치에 ●표 하세요.

⑩ 버스는 집에서 왼쪽으로 5칸 떨어져 있습니다.

    자전거는 버스에서 오른쪽으로 4칸 떨어져 있습니다.

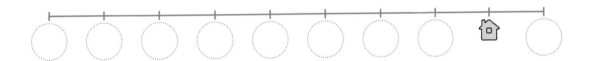

⑪ 버스는 집에서 왼쪽으로 2칸 떨어져 있습니다.

    자전거는 버스에서 왼쪽으로 3칸 떨어져 있습니다.

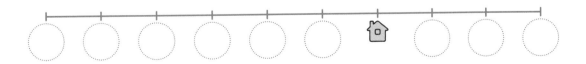

✎ 그림을 보고 물음에 답하여 ○표 하세요.

① 모자는 왼쪽에서 몇째입니까?　　　　　　(셋째 , 넷째 , 다섯째)

② 우산은 오른쪽에서 몇째입니까?　　　　　(넷째 , 셋째 , 둘째)

③ 셔츠는 오른쪽에서 몇째입니까?　　　　　(첫째 , 셋째 , 다섯째)

✎ 그림을 보고 물음에 답하여 ○표 하세요.

④ 위에서 다섯째는 무엇입니까?　　(강아지 , 돼지 , 원숭이)

⑤ 원숭이는 위에서 몇째입니까?　　(다섯째 , 셋째 , 첫째)

⑥ 아래에서 둘째는 무엇입니까?　　(닭 , 고양이 , 돼지)

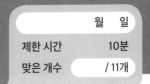
✎ 그림을 보고 올바른 말에 ○표, 틀린 말에 ✕표 하세요.

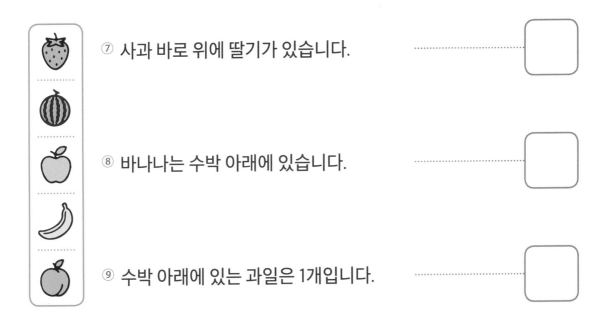

⑦ 사과 바로 위에 딸기가 있습니다. ·············

⑧ 바나나는 수박 아래에 있습니다. ·············

⑨ 수박 아래에 있는 과일은 1개입니다. ·············

✎ 그림을 보고 알맞은 말에 ○표 하세요.

⑩

자전거는 버스보다 집에서 더 (가까이 , 멀리) 있습니다.

⑪

버스는 자전거보다 집에서 더 (가까이 , 멀리) 있습니다.

✎ 그림을 보고 알맞은 말에 ○표 하세요.

① (사과는 , 수박은 , 딸기는) 오른쪽에서 셋째에 있습니다.

② 딸기는 오른쪽에서 (첫째 , 셋째 , 다섯째) 에 있습니다.

③ (바나나는 , 수박은 , 복숭아는) 오른쪽에서 둘째에 있습니다.

✎ 그림을 보고 물음에 답하여 ○표 하세요.

④ 자전거는 어디에 있습니까?　　(맨 위 , 가운데 , 맨 아래)

⑤ 맨 위에 무엇이 있습니까?　　　(비행기 , 배 , 자전거)

⑥ 배는 어디에 있습니까?　　　　(맨 위 , 가운데 , 맨 아래)

✎ 탈 것 5대가 나란히 있습니다. 질문에 맞게 ○표 하세요.

⑦ 자전거 오른쪽에는 탈 것 없습니다. 자전거는 어디에 있습니까?

⑧ 트럭 왼쪽에 있는 탈 것은 2대입니다. 트럭은 어디에 있습니까?

✎ 다음 물음에 답하세요.

⑨ 강아지는 나무에서 왼쪽으로 6칸 떨어져 있습니다.

고양이는 나무에서 오른쪽으로 1칸 떨어져 있습니다.

강아지와 고양이는 몇 칸 떨어져 있습니까?　　_____ 칸

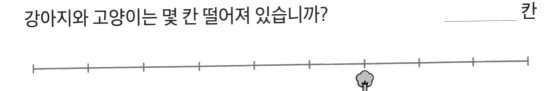

⑩ 원숭이는 나무에서 오른쪽으로 5칸 떨어져 있습니다.

닭은 원숭이에서 오른쪽으로 1칸 떨어져 있습니다.

닭은 나무에서 몇 칸 떨어져 있습니까?　　_____ 칸

✎ 그림을 보고 물음에 답하여 ○표 하세요.

① 오른쪽에서 둘째는 무엇입니까?　　　　　　　　(의자 ,　연필 ,　공책)

② 왼쪽에서 셋째는 무엇입니까?　　　　　　　　(가방 ,　공책 ,　연필)

③ 오른쪽에서 다섯째는 무엇입니까?　　　　(주사위 ,　연필 ,　가방)

✎ 그림을 보고 알맞은 말에 ○표 하세요.

④ 수박은 아래에서 (첫째 ,　셋째 ,　다섯째) 입니다.

⑤ 사과는 아래에서 (둘째 ,　셋째 ,　넷째) 입니다.

⑥ (수박은 ,　복숭아는 ,　바나나는) 아래에서 셋째입니다.

⑦ (사과는 ,　복숭아는 ,　딸기는) 아래에서 넷째입니다.

✎ 그림을 보고 올바른 말에 ○표, 틀린 말에 ✕표 하세요.

⑧ 원숭이 바로 왼쪽에 돼지가 있습니다. ┄┄┄┄┄┄ ⬚

⑨ 토끼는 고양이 왼쪽에 있습니다. ┄┄┄┄┄┄ ⬚

⑩ 고양이 오른쪽에 있는 동물은 4마리입니다. ┄┄┄┄┄ ⬚

✎ 그림을 보고 물음에 답하세요.

⑪ 나무의 오른쪽에 있는 동물은 무엇입니까?   (닭 , 토끼 , 강아지)

⑫ 닭은 나무에서 왼쪽으로 몇 칸 떨어져 있습니까?   _____ 칸

⑬ 나무에서 가장 멀리 있는 동물은 무엇입니까?   (닭 , 토끼 , 강아지)

하루 10분 서술형 / 문장제 학습지

씨투엠

수학 독해

정답

S2 방향과 위치
5세~7세

사고가 자라는 수학
씨투엠

정답

S2 방향과 위치
5세~7세

P 06 ~ 07

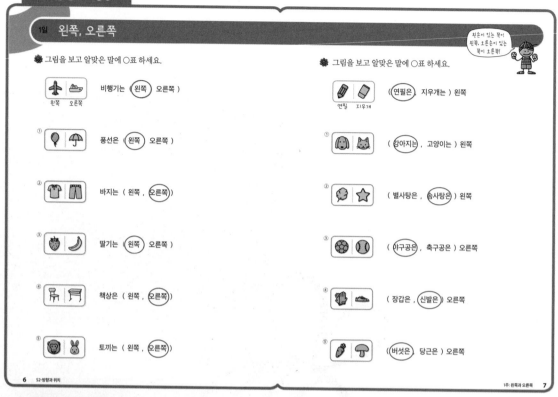

1일 왼쪽, 오른쪽

🌺 그림을 보고 알맞은 말에 ○표 하세요.

비행기는 (왼쪽 오른쪽)

① 풍선은 (왼쪽 오른쪽)

② 바지는 (왼쪽 , 오른쪽)

③ 딸기는 (왼쪽 오른쪽)

④ 책상은 (왼쪽 , 오른쪽)

⑤ 토끼는 (왼쪽 , 오른쪽)

🌺 그림을 보고 알맞은 말에 ○표 하세요.

(연필은 , 지우개는) 왼쪽

① (강아지는 , 고양이는) 왼쪽

② (별사탕은 , 솜사탕은) 왼쪽

③ (야구공은 , 축구공은) 오른쪽

④ (장갑은 , 신발은) 오른쪽

⑤ (버섯은 , 당근은) 오른쪽

왼손이 있는 쪽이
왼쪽, 오른손이 있는
쪽이 오른쪽!

6 S2-방향과 위치

1주: 왼쪽과 오른쪽 7

P 08 ~ 09

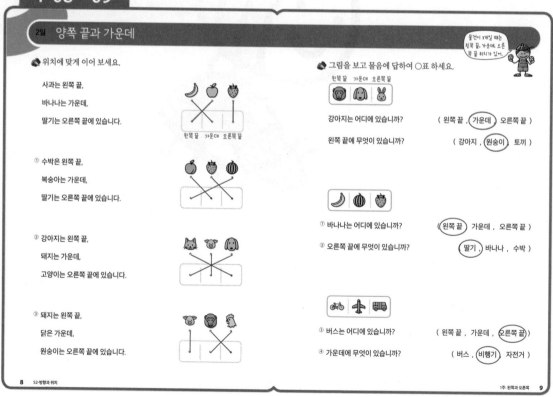

2일 양쪽 끝과 가운데

📙 위치에 맞게 이어 보세요.

사과는 왼쪽 끝,
바나나는 가운데,
딸기는 오른쪽 끝에 있습니다.

왼쪽 끝 가운데 오른쪽 끝

① 수박은 왼쪽 끝,
복숭아는 가운데,
딸기는 오른쪽 끝에 있습니다.

② 강아지는 왼쪽 끝,
돼지는 가운데,
고양이는 오른쪽 끝에 있습니다.

③ 돼지는 왼쪽 끝,
닭은 가운데,
원숭이는 오른쪽 끝에 있습니다.

📙 그림을 보고 물음에 답하여 ○표 하세요.

왼쪽 끝 가운데 오른쪽 끝

강아지는 어디에 있습니까? (왼쪽 끝 , 가운데 오른쪽 끝)

왼쪽 끝에 무엇이 있습니까? (강아지 , 원숭이 토끼)

① 바나나는 어디에 있습니까? (왼쪽 끝 가운데 , 오른쪽 끝)

② 오른쪽 끝에 무엇이 있습니까? (딸기 , 바나나 , 수박)

③ 버스는 어디에 있습니까? (왼쪽 끝 , 가운데 , 오른쪽 끝)

④ 가운데에 무엇이 있습니까? (버스 , 비행기 자전거)

물건이 3개일 때는
왼쪽 끝, 가운데, 오른
쪽 끝 하자가 있어.

8 S2-방향과 위치

1주: 왼쪽과 오른쪽 9

P 10 ~ 11

3일 왼쪽에서 몇째

왼쪽 끝부터 차례대로 첫째, 둘째, 셋째, 넷째, 다섯째라고 해.

왼쪽에서 몇째인지 찾아 알맞게 이어 보세요.

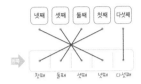

①

②
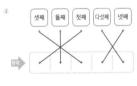

그림을 보고 알맞은 말에 ○표 하세요.

셔츠는 왼쪽에서 (첫째 , (둘째) , 셋째) 입니다.

① 바지는 왼쪽에서 (둘째 , 셋째 , (넷째)) 입니다.

② 장갑은 왼쪽에서 ((셋째) , 넷째 , 다섯째) 입니다.

③ 신발은 왼쪽에서 ((다섯째) , 셋째 , 첫째) 입니다.

(돼지는 , 원숭이는 , (토끼는)) 왼쪽에서 다섯째입니다.

④ (토끼는 , (강아지는) , 돼지는) 왼쪽에서 첫째입니다.

⑤ (고양이는 , 돼지는 , (원숭이는)) 왼쪽에서 넷째입니다.

⑥ ((돼지는) , 고양이는 , 강아지는) 왼쪽에서 셋째입니다.

10 S2-방향과 위치

1주: 왼쪽과 오른쪽 11

P 12 ~ 13

4일 오른쪽에서 몇째

같은 물건이라도 어느 쪽에서 세느냐에 따라 순서가 달라.

오른쪽에서 몇째인지 찾아 알맞게 이어 보세요.

①
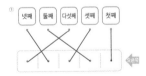

②

그림을 보고 알맞은 말에 ○표 하세요.

바나나는 오른쪽에서 (첫째 , 둘째 , (셋째)) 입니다.

① 딸기는 오른쪽에서 (셋째 , 넷째 , (다섯째)) 입니다.

② 수박은 오른쪽에서 ((첫째) , 셋째 , 다섯째) 입니다.

③ 복숭아는 오른쪽에서 ((넷째) , 셋째 , 둘째) 입니다.

(풍선은 , (축구공은) , 우산은) 오른쪽에서 둘째입니다.

④ (축구공은 , 우산은 , (의자는)) 오른쪽에서 넷째입니다.

⑤ (책상은 , 의자는 , (우산은)) 오른쪽에서 셋째입니다.

⑥ ((책상은) , 우산은 , 풍선은) 오른쪽에서 다섯째입니다.

12 S2-방향과 위치

1주: 왼쪽과 오른쪽 13

P 14~15

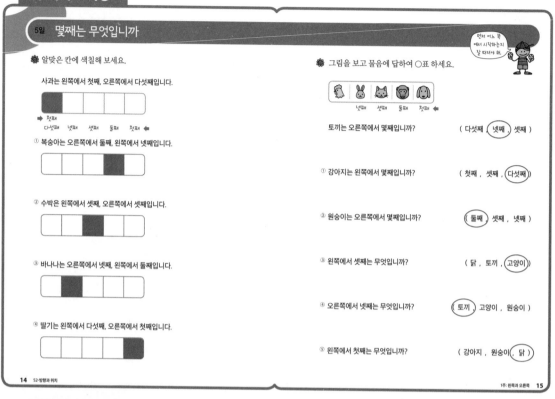

P 16~17

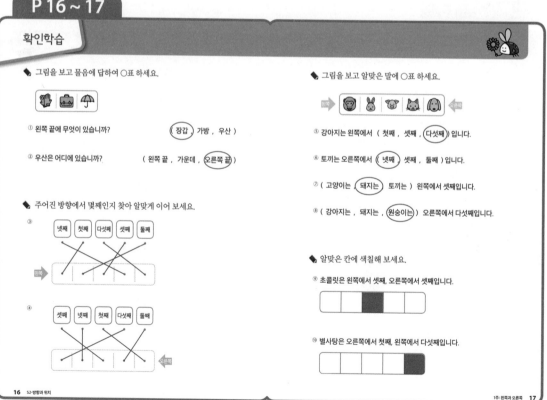

P 18

확인학습

◆ 그림을 보고 물음에 답하여 ○표 하세요.

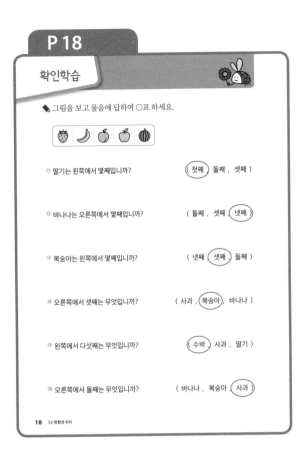

⑪ 딸기는 왼쪽에서 몇째입니까? ((첫째) , 둘째 , 셋째)

⑫ 바나나는 오른쪽에서 몇째입니까? (둘째 , 셋째 , (넷째))

⑬ 복숭아는 왼쪽에서 몇째입니까? (넷째 , (셋째) , 둘째)

⑭ 오른쪽에서 셋째는 무엇입니까? (사과 , (복숭아) , 바나나)

⑮ 왼쪽에서 다섯째는 무엇입니까? ((수박) , 사과 , 딸기)

⑯ 오른쪽에서 둘째는 무엇입니까? (바나나 , 복숭아 , (사과))

P 20 ~ 21

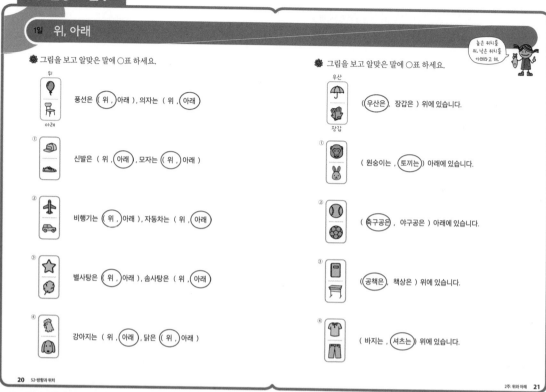

P 22 ~ 23

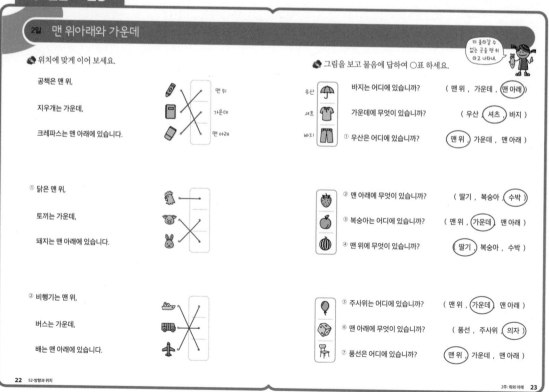

P 24 ~ 25

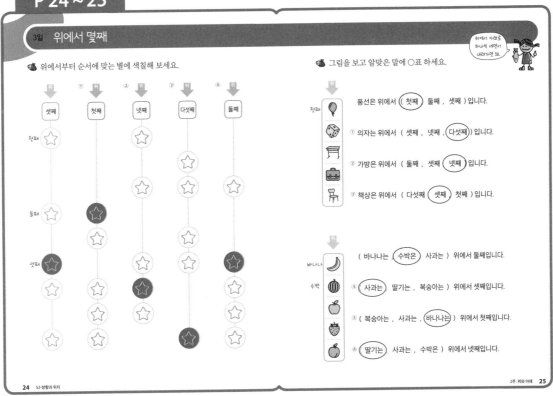

P 26 ~ 27

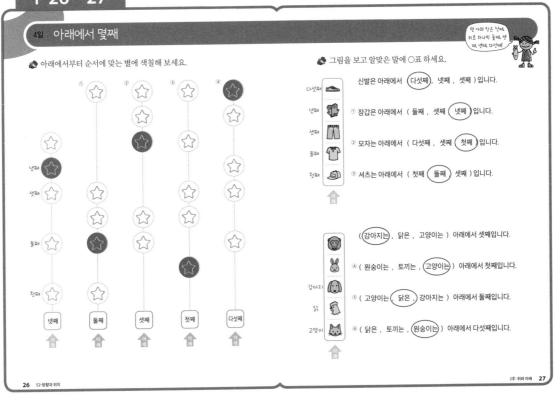

P 28 ~ 29

5일 위아래에서 몇째입니까

5개가 위아래로 있을 때, 위에서 셋째는 아래에서도 셋째야.

위와 아래에서 각각 몇째인지 찾아 알맞게 이어 보세요.

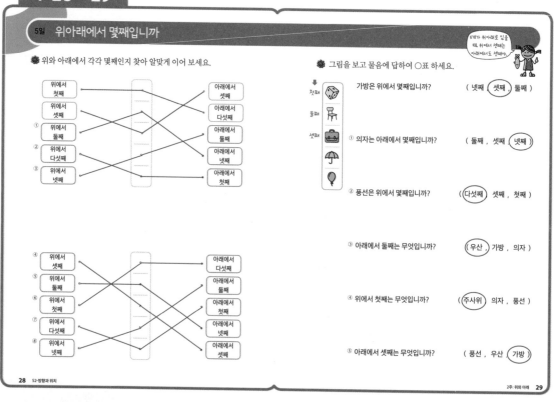

그림을 보고 물음에 답하여 ○표 하세요.

① 가방은 위에서 몇째입니까?　　（ 넷째 , (셋째) , 둘째 ）

② 의자는 아래에서 몇째입니까?　　（ 둘째 , 셋째 , (넷째) ）

③ 풍선은 위에서 몇째입니까?　　（ (다섯째) , 셋째 , 첫째 ）

③ 아래에서 둘째는 무엇입니까?　　（ (우산) , 가방 , 의자 ）

④ 위에서 첫째는 무엇입니까?　　（ (주사위) , 의자 , 풍선 ）

⑤ 아래에서 셋째는 무엇입니까?　　（ 풍선 , 우산 , (가방) ）

P 30 ~ 31

확인학습

그림을 보고 물음에 답하여 ○표 하세요.

① 가운데에 무엇이 있습니까?　　（ 원숭이 , 닭 , (강아지) ）

② 강아지는 어디에 있습니까?　　（ 맨 위 , 가운데 , (맨 아래) ）

③ 맨 위에 무엇이 있습니까?　　（ (원숭이) , 닭 , 강아지 ）

위 또는 아래에서부터 순서에 맞는 별에 색칠해 보세요.

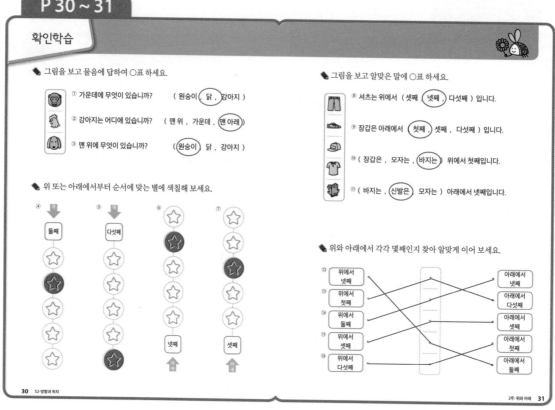

그림을 보고 알맞은 말에 ○표 하세요.

⑧ 셔츠는 위에서 （ 셋째 , (넷째) , 다섯째 ） 입니다.

⑨ 장갑은 아래에서 （ (첫째) , 셋째 , 다섯째 ） 입니다.

⑩ （ 장갑은 , 모자는 , (바지는) ） 위에서 첫째입니다.

⑪ （ 바지는 , (신발은) , 모자는 ） 아래에서 넷째입니다.

위와 아래에서 각각 몇째인지 찾아 알맞게 이어 보세요.

P 32

확인학습

✎ 그림을 보고 물음에 답하여 ○표 하세요.

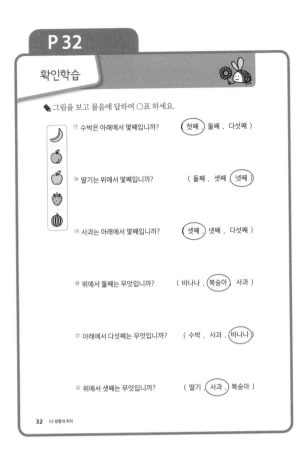

⑰ 수박은 아래에서 몇째입니까?　　（ 첫째 , 둘째 , 다섯째 ）

⑱ 딸기는 위에서 몇째입니까?　　（ 둘째 , 셋째 , 넷째 ）

⑲ 사과는 아래에서 몇째입니까?　　（ 셋째 , 넷째 , 다섯째 ）

⑳ 위에서 둘째는 무엇입니까?　　（ 바나나 , 복숭아 , 사과 ）

㉑ 아래에서 다섯째는 무엇입니까?　　（ 수박 , 사과 , 바나나 ）

㉒ 위에서 셋째는 무엇입니까?　　（ 딸기 , 사과 , 복숭아 ）

3주

1일 기준 바로

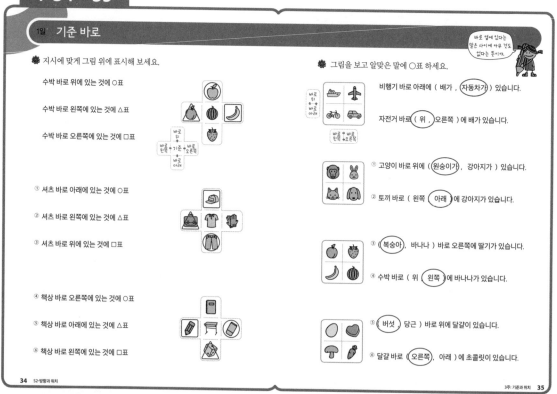

❋ 지시에 맞게 그림 위에 표시해 보세요.

수박 바로 위에 있는 것에 ○표

수박 바로 왼쪽에 있는 것에 △표

수박 바로 오른쪽에 있는 것에 □표

① 셔츠 바로 아래에 있는 것에 ○표

② 셔츠 바로 왼쪽에 있는 것에 △표

③ 셔츠 바로 위에 있는 것에 □표

④ 책상 바로 오른쪽에 있는 것에 ○표

⑤ 책상 바로 아래에 있는 것에 △표

⑥ 책상 바로 왼쪽에 있는 것에 □표

❋ 그림을 보고 알맞은 말에 ○표 하세요.

비행기 바로 아래에 (배가 , (자동차가)) 있습니다.

자전거 바로 (위 , 오른쪽))에 배가 있습니다.

① 고양이 바로 위에 ((원숭이가) , 강아지가) 있습니다.

② 토끼 바로 (왼쪽 , (아래))에 강아지가 있습니다.

③ ((복숭아) , 바나나) 바로 오른쪽에 딸기가 있습니다.

④ 수박 바로 (위 , (왼쪽))에 바나나가 있습니다.

⑤ ((버섯) , 당근) 바로 위에 달걀이 있습니다.

⑥ 달걀 바로 ((오른쪽) , 아래)에 초콜릿이 있습니다.

2일 기준 방향에

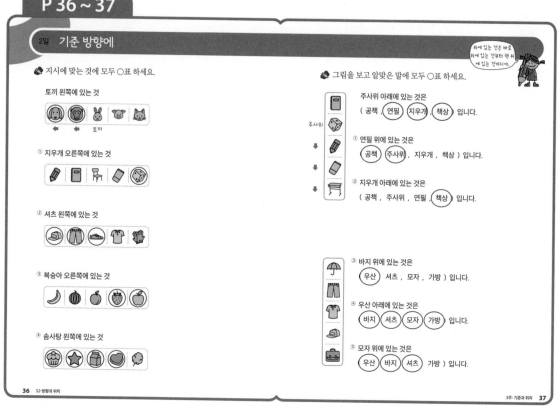

❋ 지시에 맞는 것에 모두 ○표 하세요.

토끼 왼쪽에 있는 것

① 지우개 오른쪽에 있는 것

② 셔츠 왼쪽에 있는 것

③ 복숭아 오른쪽에 있는 것

④ 솜사탕 왼쪽에 있는 것

❋ 그림을 보고 알맞은 말에 모두 ○표 하세요.

주사위 아래에 있는 것은

(공책 , 연필 , (지우개) , (책상)) 입니다.

① 연필 위에 있는 것은

((공책) , (주사위) , 지우개 , 책상) 입니다.

② 지우개 아래에 있는 것은

(공책 , 주사위 , 연필 , (책상)) 입니다.

③ 바지 위에 있는 것은

((우산) , 셔츠 , 모자 , 가방) 입니다.

④ 우산 아래에 있는 것은

((바지) , (셔츠) , (모자) , (가방)) 입니다.

⑤ 모자 위에 있는 것은

((우산) , (바지) , (셔츠) , 가방) 입니다.

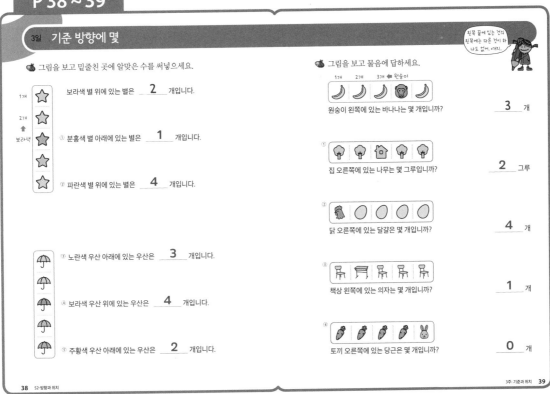

3일 기준 방향에 몇

🐝 그림을 보고 밑줄친 곳에 알맞은 수를 써넣으세요.

보라색 별 위에 있는 별은 **2** 개입니다.

① 분홍색 별 아래에 있는 별은 **1** 개입니다.

② 파란색 별 위에 있는 별은 **4** 개입니다.

③ 노란색 우산 아래에 있는 우산은 **3** 개입니다.

④ 보라색 우산 위에 있는 우산은 **4** 개입니다.

⑤ 주황색 우산 아래에 있는 우산은 **2** 개입니다.

🐝 그림을 보고 물음에 답하세요.

원숭이 왼쪽에 있는 바나나는 몇 개입니까? **3** 개

① 집 오른쪽에 있는 나무는 몇 그루입니까? **2** 그루

② 닭 오른쪽에 있는 달걀은 몇 개입니까? **4** 개

③ 책상 왼쪽에 있는 의자는 몇 개입니까? **1** 개

④ 토끼 오른쪽에 있는 당근은 몇 개입니까? **0** 개

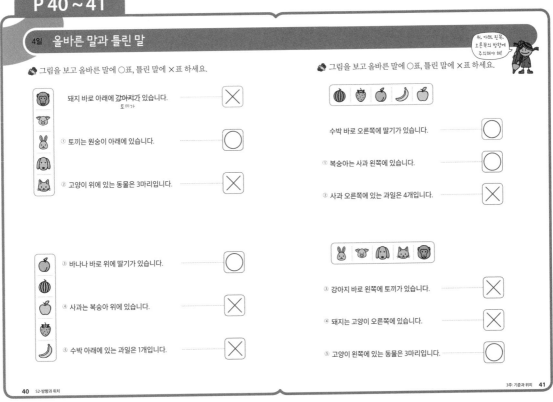

4일 올바른 말과 틀린 말

🐝 그림을 보고 올바른 말에 ○표, 틀린 말에 ✕표 하세요.

돼지 바로 아래에 강아지가 있습니다. (토끼가) ✕

① 토끼는 원숭이 아래에 있습니다. ○

② 고양이 위에 있는 동물은 3마리입니다. ✕

③ 바나나 바로 위에 딸기가 있습니다. ○

④ 사과는 복숭아 위에 있습니다. ✕

⑤ 수박 아래에 있는 과일은 1개입니다. ✕

🐝 그림을 보고 올바른 말에 ○표, 틀린 말에 ✕표 하세요.

수박 바로 오른쪽에 딸기가 있습니다. ○

① 복숭아는 사과 왼쪽에 있습니다. ○

② 사과 오른쪽에 있는 과일은 4개입니다. ✕

③ 강아지 바로 왼쪽에 토끼가 있습니다. ✕

④ 돼지는 고양이 오른쪽에 있습니다. ✕

⑤ 고양이 왼쪽에 있는 동물은 3마리입니다. ○

기준과 위치

P 42 ~ 43

5일 어디에 있습니까

단서를 잘 읽고 동물의 위치를 하나씩 차근차근 찾아봐.

❀ 과일 5개가 나란히 있습니다. 질문에 맞게 ○표 하세요.

수박 오른쪽에 있는 과일은 4개입니다. 수박은 어디에 있습니까?

○ | | | |
수박 ← 과일④ 과일③ 과일② 과일①

① 사과 왼쪽에 있는 과일은 3개입니다. 사과는 어디에 있습니까?

| | | ○ |

② 딸기 왼쪽에 있는 과일은 1개입니다. 딸기는 어디에 있습니까?

| ○ | | |

③ 복숭아 오른쪽에 있는 과일은 2개입니다. 복숭아는 어디에 있습니까?

| | ○ | |

④ 바나나 오른쪽에는 과일이 없습니다. 바나나는 어디에 있습니까?

| | | ○ |

❀ 동물 5마리가 있는 곳을 순서대로 찾아보세요.

① ② ③ ④ ⑤
동물① 동물② →강아지

강아지 왼쪽에 있는 동물은 2마리입니다.
강아지는 몇 번 칸에 있습니까? **3** 번

① 강아지 바로 오른쪽에 토끼가 있습니다.
토끼는 몇 번 칸에 있습니까? **4** 번

② 원숭이 왼쪽에는 동물이 없습니다.
원숭이는 몇 번 칸에 있습니까? **1** 번

③ 닭은 토끼 오른쪽에 있습니다.
닭은 몇 번 칸에 있습니까? **5** 번

④ 고양이는 나머지 한 칸에 있습니다.
고양이는 몇 번 칸에 있습니까? **2** 번

P 44 ~ 45

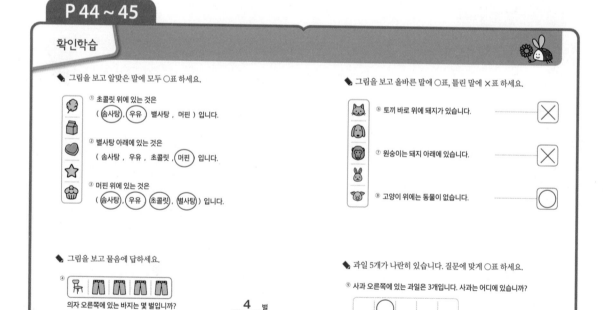

확인학습

✎ 그림을 보고 알맞은 말에 모두 ○표 하세요.

① 초콜릿 위에 있는 것은
(솜사탕 , 우유 , 별사탕 , 머핀) 입니다.

② 별사탕 아래에 있는 것은
(솜사탕 , 우유 , 초콜릿 , 머핀) 입니다.

③ 머핀 위에 있는 것은
(솜사탕 , 우유 , 초콜릿 , 별사탕) 입니다.

✎ 그림을 보고 물음에 답하세요.

④ 의자 오른쪽에 있는 바지는 몇 벌입니까? **4** 벌

⑤ 닭 왼쪽에 있는 달걀은 몇 개입니까? **3** 개

✎ 그림을 보고 올바른 말에 ○표, 틀린 말에 ✕표 하세요.

⑥ 토끼 바로 위에 돼지가 있습니다. ✕

⑦ 원숭이는 돼지 아래에 있습니다. ✕

⑧ 고양이 위에는 동물이 없습니다. ○

✎ 과일 5개가 나란히 있습니다. 질문에 맞게 ○표 하세요.

⑨ 사과 오른쪽에 있는 과일은 3개입니다. 사과는 어디에 있습니까?

| | ○ | | |

⑩ 딸기 왼쪽에 있는 과일은 4개입니다. 딸기는 어디에 있습니까?

| | | | ○ |

P 46

확인학습

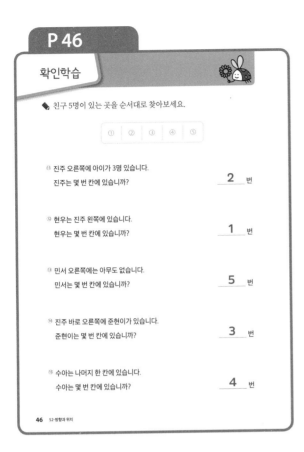

✎ 친구 5명이 있는 곳을 순서대로 찾아보세요.

| ① | ② | ③ | ④ | ⑤ |

⑪ 진주 오른쪽에 아이가 3명 있습니다.
진주는 몇 번 칸에 있습니까?　　　　　　**2** 번

⑫ 현우는 진주 왼쪽에 있습니다.
현우는 몇 번 칸에 있습니까?　　　　　　**1** 번

⑬ 민서 오른쪽에는 아무도 없습니다.
민서는 몇 번 칸에 있습니까?　　　　　　**5** 번

⑭ 진주 바로 오른쪽에 준현이가 있습니다.
준현이는 몇 번 칸에 있습니까?　　　　　　**3** 번

⑮ 수아는 나머지 한 칸에 있습니다.
수아는 몇 번 칸에 있습니까?　　　　　　**4** 번

거리 비교

P 48 ~ 49

1일 한 방향으로 몇 칸

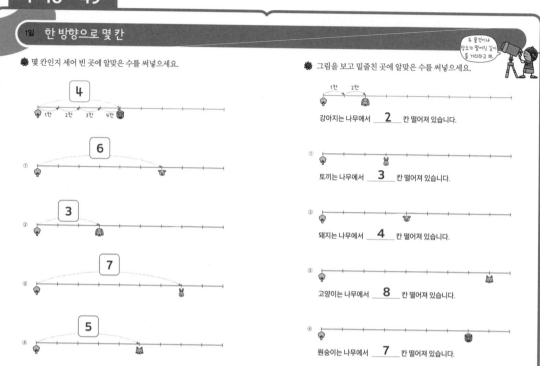

❀ 몇 칸인지 세어 빈 곳에 알맞은 수를 써넣으세요.

❀ 그림을 보고 밑줄친 곳에 알맞은 수를 써넣으세요.

두 물건이나 장소가 떨어진 길이를 거리라고 해.

강아지는 나무에서 __2__ 칸 떨어져 있습니다.

① 토끼는 나무에서 __3__ 칸 떨어져 있습니다.

② 돼지는 나무에서 __4__ 칸 떨어져 있습니다.

③ 고양이는 나무에서 __8__ 칸 떨어져 있습니다.

④ 원숭이는 나무에서 __7__ 칸 떨어져 있습니다.

P 50 ~ 51

2일 양 방향으로 몇 칸

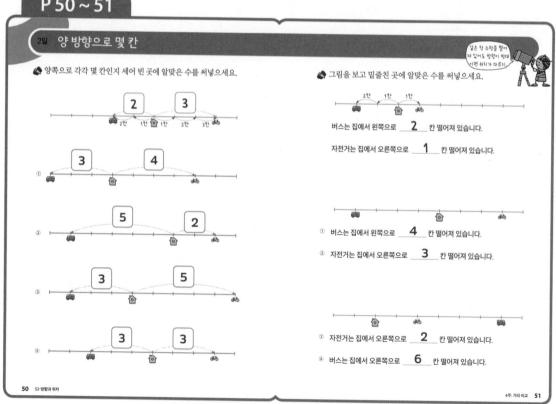

❀ 양쪽으로 각각 몇 칸인지 세어 빈 곳에 알맞은 수를 써넣으세요.

❀ 그림을 보고 밑줄친 곳에 알맞은 수를 써넣으세요.

같은 칸 수만큼 떨어져 있어도 방향이 반대면 위치가 다르지.

버스는 집에서 왼쪽으로 __2__ 칸 떨어져 있습니다.

자전거는 집에서 오른쪽으로 __1__ 칸 떨어져 있습니다.

① 버스는 집에서 왼쪽으로 __4__ 칸 떨어져 있습니다.

② 자전거는 집에서 오른쪽으로 __3__ 칸 떨어져 있습니다.

③ 자전거는 집에서 오른쪽으로 __2__ 칸 떨어져 있습니다.

④ 버스는 집에서 오른쪽으로 __6__ 칸 떨어져 있습니다.

P 52 ~ 53

3일 몇 칸 떨어진 위치

> 버스의 위치를 찾고, 버스를 기준으로 자전거의 위치를 찾아봐.

🐾 동물의 위치를 각각 찾아 ○표 하세요.

고양이는 나무에서 오른쪽으로 5칸 떨어져 있습니다.

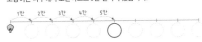

① 토끼는 나무에서 왼쪽으로 4칸 떨어져 있습니다.

② 원숭이는 나무에서 오른쪽으로 3칸 떨어져 있습니다.

③ 강아지는 나무에서 왼쪽으로 7칸 떨어져 있습니다.

🚌 버스의 위치에 ○표, 자전거의 위치에 ●표 하세요.

버스는 집에서 오른쪽으로 3칸 떨어져 있습니다.
자전거는 버스에서 왼쪽으로 5칸 떨어져 있습니다.

① 버스는 집에서 왼쪽으로 4칸 떨어져 있습니다.
자전거는 버스에서 오른쪽으로 2칸 떨어져 있습니다.

② 버스는 집에서 오른쪽으로 1칸 떨어져 있습니다.
자전거는 버스에서 오른쪽으로 4칸 떨어져 있습니다.

P 54 ~ 55

4일 가까이, 멀리

> 떨어진 칸 수가 클수록 멀고, 떨어진 칸 수가 작을수록 가까워.

🚌 그림을 보고 알맞은 말에 ○표 하세요.

버스는 자전거보다 집에서 더 ((가까이) 멀리) 있습니다.

①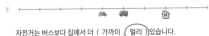

자전거는 버스보다 집에서 더 (가까이 (멀리)) 있습니다.

②

버스는 자전거보다 집에서 더 (가까이 (멀리)) 있습니다.

③

자전거는 버스보다 집에서 더 ((가까이) 멀리) 있습니다.

🚌 물음에 답하여 알맞은 말에 ○표 하세요.

버스는 집에서 왼쪽으로 2칸 떨어져 있습니다.
자전거는 버스에서 왼쪽으로 3칸 떨어져 있습니다.
집에서 더 멀리 있는 것은 무엇입니까?　(버스 , (자전거))

① 버스는 집에서 오른쪽으로 5칸 떨어져 있습니다.
자전거는 버스에서 왼쪽으로 2칸 떨어져 있습니다.
집에서 더 가까이 있는 것은 무엇입니까?　(버스 , (자전거))

② 버스는 집에서 왼쪽으로 3칸 떨어져 있습니다.
자전거는 버스에서 오른쪽으로 5칸 떨어져 있습니다.
집에서 더 멀리 있는 것은 무엇입니까?　((버스) , 자전거)

거리 비교

4주

P 56 ~ 57

5일 몇 칸 떨어져 있습니까

❀ 다음 물음에 답하세요.

토끼는 나무에서 오른쪽으로 2칸 떨어져 있습니다.
원숭이는 나무에서 왼쪽으로 3칸 떨어져 있습니다.
토끼와 원숭이는 몇 칸 떨어져 있습니까?　　__5__ 칸

3칸　2칸　1칸　1칸　2칸
원숭이　　　　　　　토끼

① 강아지는 나무에서 왼쪽으로 5칸 떨어져 있습니다.
고양이는 나무에서 왼쪽으로 1칸 떨어져 있습니다.
강아지와 고양이는 몇 칸 떨어져 있습니까?　　__4__ 칸

② 원숭이는 나무에서 오른쪽으로 4칸 떨어져 있습니다.
강아지는 원숭이에서 왼쪽으로 6칸 떨어져 있습니다.
강아지는 나무에서 몇 칸 떨어져 있습니까?　　__2__ 칸

❀ 그림을 보고 물음에 답하세요.

나무의 왼쪽에 있는 동물은 무엇입니까?　　(강아지 , 토끼 , 닭)

① 나무에서 오른쪽으로 5칸 떨어진 곳에 있는 동물은 무엇입니까?
(강아지 , 토끼 , 닭)

② 토끼는 나무에서 오른쪽으로 몇 칸 떨어져 있습니까?　　__2__ 칸

③ 강아지와 닭은 몇 칸 떨어져 있습니까?　　__8__ 칸

④ 나무에서 가장 가까이 있는 동물은 무엇입니까?　　(강아지 , 토끼 , 닭)

⑤ 나무에서 가장 멀리 있는 동물은 무엇입니까?　　(강아지 , 토끼 , 닭)

어려운 위치 구하기
문제도 그림을 그려서
풀면 훨씬 간단해!

56　S2-방향과 위치

4주: 거리 비교　57

P 58 ~ 59

확인학습

✏ 버스의 위치에 ○표, 자전거의 위치에 ●표 하세요.

① 버스는 집에서 오른쪽으로 1칸 떨어져 있습니다.
자전거는 버스에서 오른쪽으로 3칸 떨어져 있습니다.

② 버스는 집에서 왼쪽으로 2칸 떨어져 있습니다.
자전거는 버스에서 오른쪽으로 7칸 떨어져 있습니다.

✏ 그림을 보고 알맞은 말에 ○표 하세요.

③
버스는 자전거보다 집에서 더 (가까이 , 멀리) 있습니다.

④
버스는 자전거보다 집에서 더 (가까이 , 멀리) 있습니다.

✏ 다음 물음에 답하세요.

⑤ 닭은 나무에서 왼쪽으로 4칸 떨어져 있습니다.
강아지는 나무에서 오른쪽으로 2칸 떨어져 있습니다.
닭과 강아지는 몇 칸 떨어져 있습니까?　　__6__ 칸

⑥ 고양이는 나무에서 오른쪽으로 3칸 떨어져 있습니다.
돼지는 나무에서 오른쪽으로 5칸 떨어져 있습니다.
고양이와 돼지는 몇 칸 떨어져 있습니까?　　__2__ 칸

⑦ 강아지는 나무에서 왼쪽으로 1칸 떨어져 있습니다.
원숭이는 강아지에서 오른쪽으로 6칸 떨어져 있습니다.
원숭이는 나무에서 몇 칸 떨어져 있습니까?　　__5__ 칸

58　S2-방향과 위치

4주: 거리 비교　59

16　S2-방향과 위치

P 60

확인학습

◆ 그림을 보고 물음에 답하세요.

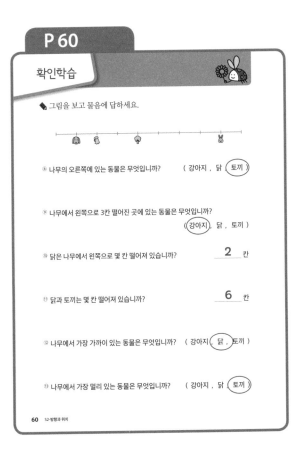

⑧ 나무의 오른쪽에 있는 동물은 무엇입니까?　　(강아지 , 닭 , (토끼))

⑨ 나무에서 왼쪽으로 3칸 떨어진 곳에 있는 동물은 무엇입니까?

　　　　　　　　　　　　　　　　((강아지) , 닭 , 토끼)

⑩ 닭은 나무에서 왼쪽으로 몇 칸 떨어져 있습니까?　　　　_2_ 칸

⑪ 닭과 토끼는 몇 칸 떨어져 있습니까?　　　　　　　　_6_ 칸

⑫ 나무에서 가장 가까이 있는 동물은 무엇입니까?　(강아지 , (닭) , 토끼)

⑬ 나무에서 가장 멀리 있는 동물은 무엇입니까?　(강아지 , 닭 , (토끼))

P 62 ~ 63

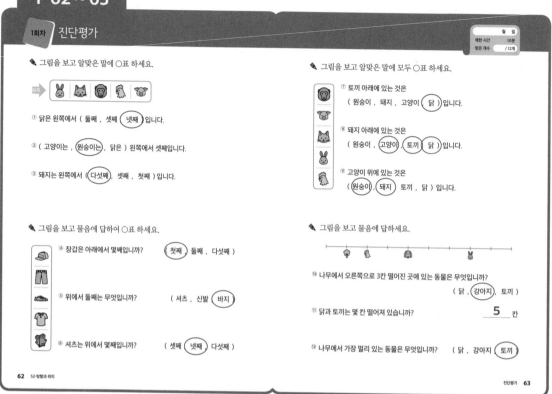

P 64 ~ 65

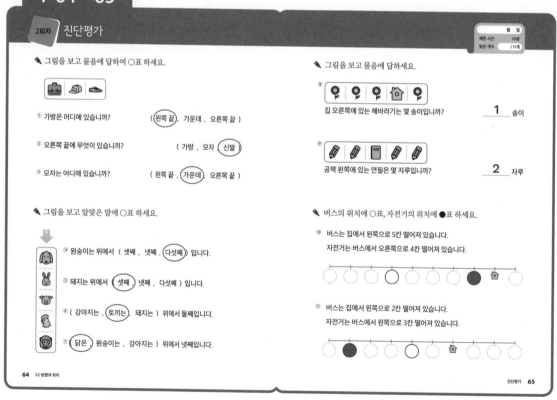

P 66 ~ 67

3회차 진단평가

제한 시간 10분
맞은 개수 /11개

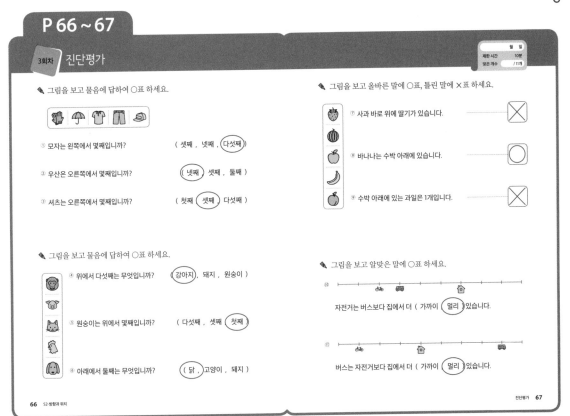

P 68 ~ 69

4회차 진단평가

제한 시간 10분
맞은 개수 /10개

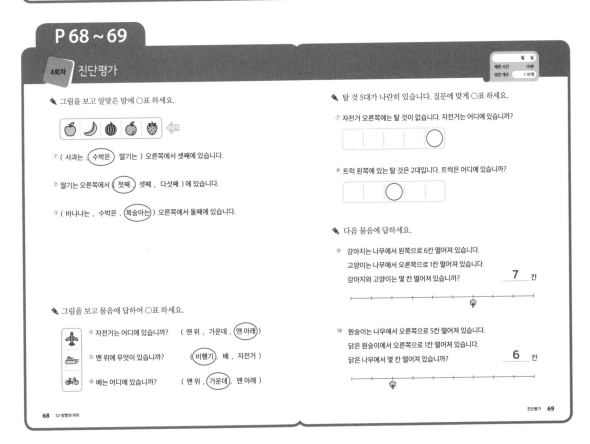

월 일
제한 시간 10분
맞은 개수 /13개

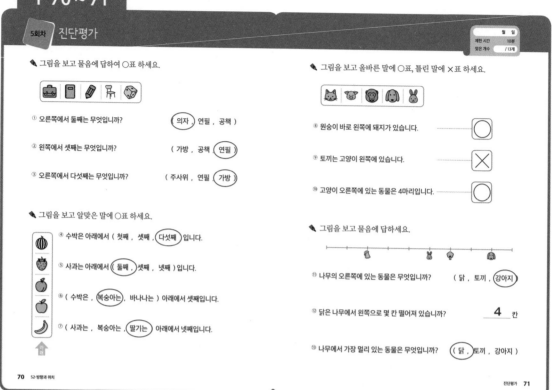

✎ 그림을 보고 물음에 답하여 ○표 하세요.

① 오른쪽에서 둘째는 무엇입니까?　　　　(의자 , 연필 , 공책)

② 왼쪽에서 셋째는 무엇입니까?　　　　(가방 , 공책 , 연필)

③ 오른쪽에서 다섯째는 무엇입니까?　　(주사위 , 연필 , 가방)

✎ 그림을 보고 알맞은 말에 ○표 하세요.

④ 수박은 아래에서 (첫째 , 셋째 , 다섯째)입니다.

⑤ 사과는 아래에서 (둘째 , 셋째 , 넷째)입니다.

⑥ (수박은 , 복숭아는 , 바나나는) 아래에서 셋째입니다.

⑦ (사과는 , 복숭아는 , 딸기는) 아래에서 넷째입니다.

✎ 그림을 보고 올바른 말에 ○표, 틀린 말에 ✕표 하세요.

⑧ 원숭이 바로 왼쪽에 돼지가 있습니다. ········ ○

⑨ 토끼는 고양이 왼쪽에 있습니다. ········ ✕

⑩ 고양이 오른쪽에 있는 동물은 4마리입니다. ········ ○

✎ 그림을 보고 물음에 답하세요.

⑪ 나무의 오른쪽에 있는 동물은 무엇입니까?　　(닭 , 토끼 , 강아지)

⑫ 닭은 나무에서 왼쪽으로 몇 칸 떨어져 있습니까?　　**4** 칸

⑬ 나무에서 가장 멀리 있는 동물은 무엇입니까?　　(닭 , 토끼 , 강아지)

"

The essence of mathematics
is its freedom.

"

"수학의 본질은 그 자유로움에 있다."

Georg Cantor, 게오르크 칸토어